Klartext

Wir in Nordrhein-Westfalen
Unsere gesammelten Werke
44

Hans Blossey

Der Himmel über Rhein und Ruhr

Luftbilder aus NRW

Redaktion und Gestaltung:
Anna Kötter • Stefan Zowislo

Originalausgabe

Redaktion und Gestaltung: Anna Kötter • Stefan Zowislo
Grafik: Yvonne Schultes
                                                Marketing und Kommunikation • WAZ Mediengruppe
Umschlagbild: Hans Blossey
Druck und Bindung: Druckerei Himmer, Augsburg

© Klartext Verlag, Essen 2007
ISBN 978-3-89861-829-8

www.klartext-verlag.de

Inhalt

Natur • Landschaft

Herzlich willkommen an Rhein und Ruhr.
Grandiose Ausblicke auf Wahrzeichen aus Nordrhein-
Westfalen, verblüffende Einblicke in Landschafts- und
Wohnformen – einen wunderbaren Überblick gewährt
dieses Buch, ohne jeden Anspruch auf Vollständigkeit.

Farbfotos auf 160 Seiten zeigen Deutschlands größtes
Bundesland in seiner Vielfalt und laden zum Entdecken
der Heimat und neuer Ausflugsziele ein. Gewaltige
Stauseen gewähren in ihrer Mitte kleinen Inseln Schutz,
Flüsse mäandern durch bunte Felder, Sonnenstrahlen
bringen die herbstlich eingefärbten Kronen der Wälder
zum Leuchten. In diesem Kapitel verbirgt sich ein wahrer
Schatz an Naturschönheiten.

Essen
Baldeneysee mit Villa Hügel

Aachen
Deutsch-niederländischer
Gewerbepark AVANTIS

Witten
Ruhrinsel im Kemnader Stausee

Kalkar
Feldlandschaft

Bochum
Kemnader Stausee mit Golfplatz Stiepel

Datteln
Lippeauen

Haltern am See
Stausee-Insel

Haltern am See
Stausee

Seite 18 / 19: **Dattelner Meer**
Kanalknotenpunkt

Gelsenkirchen
Kraniche über Schalke-Arena

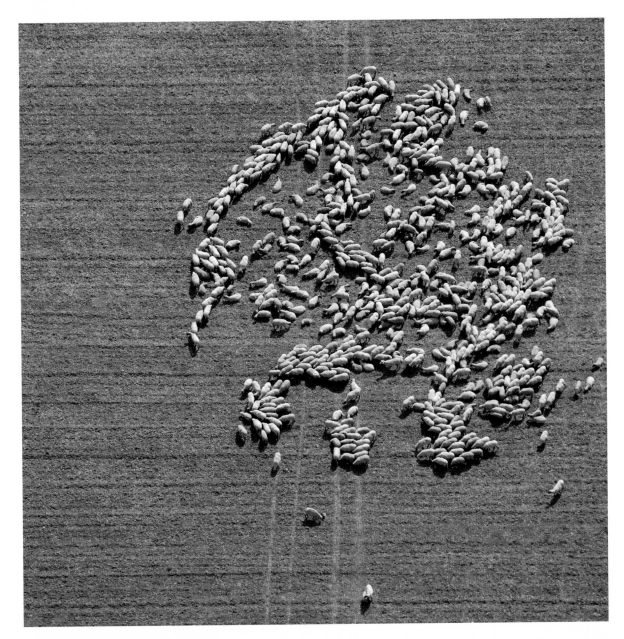

Witten
Halbinsel in der Ruhr

Möhnesee

Waltrop
Schiffshebewerk Henrichenburg

Lünen
Lippeauen

Mülheim an der Ruhr
Wasserturm mit Camera Obscura

Düsseldorf
Rhein mit Landtag und Medienhafen

Schwerte
Ruhrtal zwischen Fröndenberg und Schwerte

Duisburg
Sechs-Seen-Platte

Castrop-Rauxel
Regenbogen über A2

Velbert
Rapsfeld am Rottberg

36

Innenstädte • Siedlungen

Im spannenden Nebeneinander stehen an Rhein und
Ruhr hochmoderne Bauwerke und kleine Ortschaften.
Glas und Stahl, futuristische Formen, mächtige Bauwerke
geben der Großstadt ein Gesicht. Nur wenige Kilometer
entfernt fügen sich Gehöfte harmonisch in üppige
Raps- und Roggenfelder. Ordentlich reihen sich
anderenorts Fachwerkhäuser aneinander, sind auf dem
Reißbrett funktionale Siedlungen entstanden. Eine Fülle
an Baustilen, die jedes Wohnen für sich einzigartig
macht. So leben die Menschen in Nordrhein-Westfalen.

Essen
Skyline

Düsseldorf
Neuer Zollhof am Rheinhafen •
Bauten des Architekten Frank O. Gehry

Köln
Innenstadt mit Dom

45

Herne
Zechensiedlung Teutoburgia

Dortmund
Borsigplatz

49

Dormagen
Historische Feste Zons

Mülheim an der Ruhr
Ruhr mit Konrad-Adenauer-Brücke (vorne) •
Schlossbrücke (hinten)

Haltern am See
Historisches Rathaus • St. Sixtus Kirche

Freudenberg
Fachwerkhaus-Siedlung

Links: **Kalkar**
Gehöfte

Rees
Stadt mit Rheinufer

Marl
Brassert

Siegen
Sauerlandlinie mit Siegtalbrücke

Hattingen
Heimatkundliches Museum
im Bügeleisenhaus

Essen
Innenstadt

Seite 64 - 65: **Münster**
Patrizierhäuser am Roggenmarkt

Hagen
Westfälisches Freilichtmuseum

Mülheim an der Ruhr
Broich

Bochum
Hiltrop

Freizeit • Unterhaltung

Fußball, Marathonlauf, Pferderennsport, Skispringen, Wassersport, Golf – die Auswahl ist schier endlos mitten in Deutschland. Hier ist fast alles möglich und die Menschen in Nordrhein-Westfalen wissen das zu schätzen.

Ob beim Public Viewing zur Fußball-Weltmeisterschaft 2006 oder zum Marathon – zu Tausenden finden hier Menschen zusammen und begeistern sich für eine gemeinsame Sache. Zum üppigen Freizeitangebot zählt ebenso die facettenreiche Kultur- und Theaterlandschaft, deren Programm oft Strahlkraft bis weit über die Grenzen Nordrhein-Westfalens besitzt.

Bochum
Ruhrstadion • WM-Eröffnungsspiel 2006
Public Viewing

Dortmund
Ruhrmarathon

Essen
Grillo-Theater

Mülheim an der Ruhr
Theater an der Ruhr und Raffelbergpark

Links: **Oer-Erkenschwick**
Wintercamping Honermann-Siedlung

Hamm
Glaselefant Maximilianpark

Oberhausen
CentrO • Promenade
mit Weihnachtsmarkt

Herne
Cranger Kirmes

Bottrop
Alpincenter

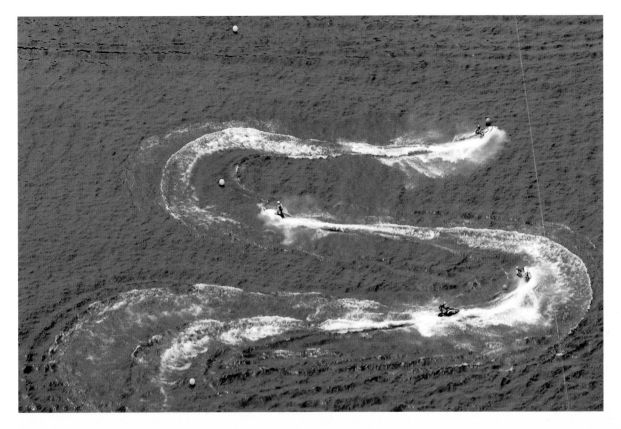

Oberhausen
CentrO und Gasometer

Duisburg
Stadttheater

Mülheim an der Ruhr
Golfplatz • Rennbahn Raffelberg

Oberhausen
Rolling-Stones-Konzert

Herne
Revierpark Gysenberg

Herne
Südpool

Sauerland
Sorpesee

Bochum
Bermudadreieck

Recklinghausen
Weihnachtsmarkt auf
dem Alten Markt

Haltern am See
Seebad Halterner Stausee

Gelsenkirchen
Parkstadion und Arena
Mai 2001

Schlösser • Kirchen

Seerosen umspielen das Schloss auf dem Wassergraben, am Gemäuer ranken sich Efeu und bunte Blüten hinauf zu hübschen Erkern, im weitläufigen Park hört man fast noch das Wispern der Adligen und Gutsbesitzer im Skulpturen- oder Kräutergarten. Viele Geschichten und Träume stecken in den zauberhaften Schlössern, Burgen und Herrenhäusern Nordrhein-Westfalens, die zum Entdecken und Weiterspinnen einladen. Besonders bei den Parkanlagen lohnt sich der Blick aus der Luft.

Auch Kirchen, Synagogen oder Dome haben ihren ganz eigenen Reiz und bieten aus der Luft einen tollen Anblick auf gewaltige Schiffe, Vorplätze und Bauformen.

Gladbeck
Haus Wittringen

Essen
Schloss Borbeck

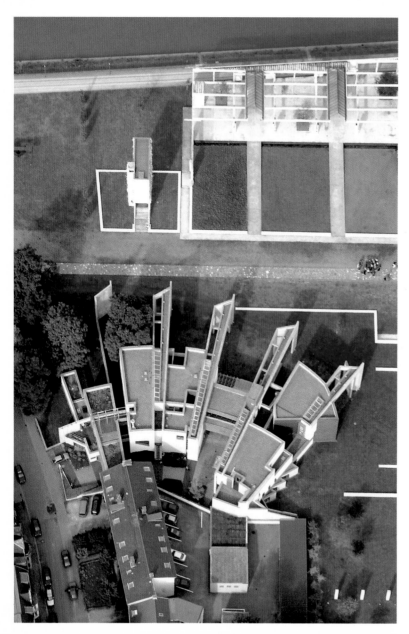

Duisburg
Synagoge

Velbert
Neviges • Wallfahrtsdom

Bedburg
Schloss Moyland

Ascheberg
Wasserschloss Westerwinkel

Links: **Hünxe**
Schloss Gartrop

Hagen
Schloss Hohenlimburg

Rees
Haus Aspel

Hamm
Schloss Heessen

Hattingen
St. Georgs-Kirche

Kleve
Schwanenburg

Lüdinghausen
Burg Vischering

Kamp-Lintfort
Kloster Kamp

Nordkirchen
Schloss Nordkirchen

Dorsten
St. Paulus Dorfkirche

Industrie • Arbeit

Zu Recht trägt das Ruhrgebiet den Titel Kulturhauptstadt 2010, hat es doch gelernt, aus einer Vergangenheit der rauchenden Schlote und dunklen Halden beeindruckende Kulturstätten zu schaffen. Einstige Zechengelände wie Zollverein in Essen sind heute Touristenziele und Aushängeschilder für eine ganze Region.

Nordrhein-Westfalen als Standort für Industrie, Bildung, Wissenschaft – einige Monumente finden sich auf den folgenden Seiten und lassen das Bundesland aus einer völlig neuen Perspektive erlebbar werden.

Essen
Villa Hügel mit Baldeneysee

131

Dortmund
Zeche Zollern

Lünen
Colani-Förderturm

Links: **Essen**
Serra Bramme auf der Schurenbachhalde
mit Künstlerinstallation

Gelsenkirchen
Schüngelberg-Siedlung
mit Rungenberghalde

Essen
Zeche Zollverein

Hattingen
Ehemalige Henrichshütte an der Ruhr

Herne
Kohlekraftwerk

Mülheim an der Ruhr
Ringlokschuppen

Bochum
Bergbaumuseum und Polizeipräsidium

Bochum
Opel-Werk

Bochum
Opel-Neuwagen

147

Duisburg
Universität

Düsseldorf
Flughafen

Duisburg
Schlackebeet

Duisburg
Innenhafen

Gelsenkirchen
Himmelstreppe von Hermann Prigann

Düsseldorf
Stadttor und Landtag